El rey que No oía pero Escuchaba

Dirección editorial: Adriana Beltrán Fernández
Coordinación de la colección: Karen Coeman
Cuidado de la edición: Pilar Armida

El rey que no oía, pero escuchaba

Libreto original D.R. © 2006, Perla Szuchmacher
Texto D. R. © 2013, Alberto Lomnitz (adaptación)
Ilustraciones D.R. © 2013, Santiago Solís

Primera edición: junio de 2013
Cuarta reimpresión: mayo de 2016
D.R. © 2013, Ediciones Castillo, S.A. de C.V.
Castillo ® es una marca registrada.

Insurgentes Sur 1886, Col. Florida.
Del. Álvaro Obregón.
C.P. 01030, México, D.F.

Ediciones Castillo forma parte del Grupo Macmillan.

www.grupomacmillan.com
www.edicionescastillo.com
infocastillo@grupomacmillan.com
Lada sin costo: 01 800 536 1777

Miembro de la Cámara Nacional de la Industria Editorial Mexicana.
Registro núm. 3304

ISBN: 978-607-463-866-0

Impreso en México/*Printed in Mexico*

Perla Szuchmacher
Alberto Lomnitz (adaptación)

Ilustraciones de Santiago Solís

Castillo de la lectura

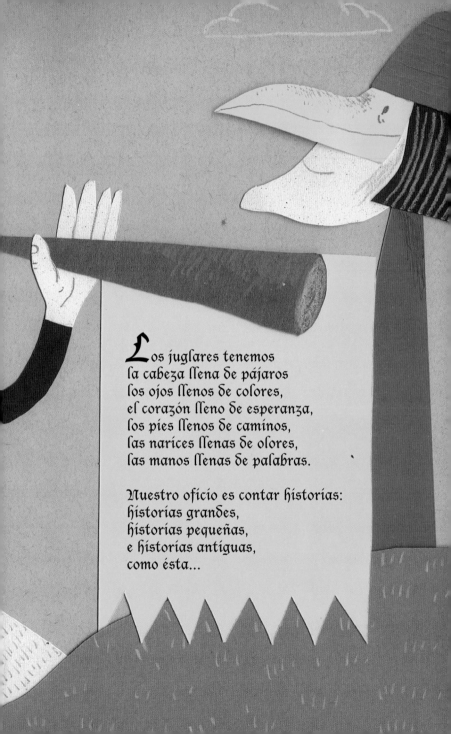

Los juglares tenemos
la cabeza llena de pájaros
los ojos llenos de colores,
el corazón lleno de esperanza,
los pies llenos de caminos,
las narices llenas de olores,
las manos llenas de palabras.

Nuestro oficio es contar historias:
historias grandes,
historias pequeñas,
e historias antiguas,
como ésta...

Uno

El viejo rey tenía dos hijos. El mayor se llamaba Ludovico, y Romualdo el menor. Eran tiempos de paz y prosperidad, y los jóvenes príncipes llevaban una vida tranquila y agradable.

Para muchos —es decir, para los que no los conocían de cerca— resultaba extraño que los hermanos jamás conversaran, aunque pasaban la mayor parte del tiempo juntos.

De hecho, eran muy cercanos y se llevaban muy bien. En lugar de hablar, se pasaban los días felizmente jugando todo tipo de juegos. Sobre todo, les gustaba el ajedrez y la esgrima.

En ajedrez, Ludovico le ganaba a su hermano menor, pues Romualdo, por querer capturar a la dama o a una torre, no cuidaba a su rey. Para que Romualdo no se frustrara siempre por perder, Ludovico acostumbraba darle ventaja y regalarle alguna pieza.

En esgrima, sin embargo, la competencia era más reñida. Ludovico manejaba la espada con destreza e inteligencia. A Romualdo le faltaba mucho que aprender en cuanto a técnica y equilibrio, pero lo compensaba con su gran coraje y pasión. Le daba una dura batalla a su hermano grande.

Los príncipes cruzaban espadas con gran energía y total concentración hasta que uno lograba desarmar al otro. Entonces, el vencedor podía burlarse del otro juntando las manos delante de la nariz, agitando los dedos y enseñándole la lengua.

Ganara quien ganara, los hermanos se divertían enormemente.

Al final del día, cansados de tanto jugar, acostumbraban subirse al gran muro que rodeaba al castillo para ver el atardecer. A Ludovico le encantaba observar el cielo y las nubes tiñiéndose de mil colores, mientras que a Romualdo le divertía escuchar el escándalo que hacían los pájaros y las ranas justo en el momento en que el sol se perdía detrás del horizonte.

Pero no todo podía ser juego y alegría en el reino. Un día, el viejo rey cayó enfermo.

Romualdo, angustiado, lloraba a escondidas en el patio del palacio. Ludovico, en cambio, permaneció silencioso al pie de la cama de su padre, sonriéndole cuando abría los ojos y sosteniendo su mano mientras dormía, hasta el momento fatídico en el que el Médico Real salió al balcón del palacio y anunció a todo el pueblo reunido en la plaza:

—¡El rey ha muerto!

Dos

Pasados los funerales, los ministros del reino se reunieron para decidir quién sería el nuevo rey. Se preguntaban cómo harían para elegirlo, pues el asunto no era sencillo.

El Ministro de la Tesorería sacó una moneda:

—¿Cara o sello? —preguntó.

—No, no: en ninguna parte del mundo sería aceptable —respondió el Ministro de Relaciones Exteriores.

—¿Piedra, papel o tijera? —sugirió el Ministro de Artes y Oficios.

—¡No, señores: así no se elige a un rey! La tradición dicta que la corona le corresponde al primogénito —los regañó el Primer Ministro.

El Primer Ministro tenía razón: por principio, a Ludovico le correspondía la corona por ser el hermano mayor.

Sin embargo, los demás ministros se oponían:

—¡Ludovico no puede ser rey! —declaraban.

—¿Cuál es el problema? —preguntó el Primer Ministro—. ¿Acaso Ludovico no sabe leer?

—Por supuesto que sabe. Además, escribe hermosamente —respondió el Ministro de Educación.

—¡Entonces puede ser rey! —exclamó el Primer Ministro.

—¡No! —respondieron los demás.

—¿Acaso Ludovico no es capaz de combatir? —preguntó el Primer Ministro.

—¡Desde luego! —respondió el Ministro de Guerra—. Es muy hábil con la espada.

—¡Entonces puede ser rey! —repitió el Primer Ministro.

—¡No! —insistieron los demás.

—¿Acaso hay ALGO que Ludovico NO pueda hacer? —preguntó, enfadado, el Primer Ministro.

—Pues sí; precisamente, ése es el problema... —respondieron a coro el resto de los ministros.

—¿CUÁL es el problema? ¿QUÉ es lo que Ludovico no puede hacer? —gritó frustrado el Primer Ministro.

—¡LUDOVICO NO PUEDE OÍR! —contestaron todos a la vez.

El Primer Ministro abrió muy grandes los ojos.

—¿No puede oír? —preguntó sorprendido.

Todos asintieron. La sala se quedó en silencio.

En efecto, Ludovico era sordo. Había nacido así: no oía nada. Por eso los ministros no querían que Ludovico fuera su nuevo rey, a pesar de que tenía todos los atributos para poder gobernar.

—Jamás hemos sabido de un rey que no oiga —decían.

Temían que a un rey sordo no se le tomaría en serio. Temían que los reyes de otros reinos se burlaran de él. Peor aún, ¡temían que los ministros de los países vecinos se burlaran de ellos por tener un rey sordo!

Y aunque los habitantes sordos del reino hubieran estado felices de tener un rey como ellos, no fueron tomados en cuenta, porque eran muy pocos.

Finalmente, después de dos días de deliberaciones, las campanas de la torre del palacio llamaron al pueblo a reunirse en la plaza. El Heraldo Real salió al balcón y gritó tan fuerte como pudo:

—¡Viva el rey Romualdo!

Y todos —los ministros, el pueblo, los embajadores de los reinos vecinos, e incluso Ludovico— se postraron ante Romualdo, el hermano menor.

Tres

El joven rey Romualdo debía comenzar cuanto antes con su difícil tarea de gobernar.

Él aún no lo sabía, pero hacerse cargo de un reino implica muchas obligaciones, noches sin dormir y estar atento a las necesidades del pueblo. Pero eso a Romualdo le importaba muy poco.

—Yo soy el rey, y puedo dormir tanto como quiera —decía.

Por lo tanto, los ministros, embajadores y demás personas que quisieran consultar la voluntad del rey sobre tal o cual importante asunto de estado, o que necesitaban que les firmara tal o cual documento, debían esperar horas, a veces días, a que Romualdo despertara.

Una mañana en la que el rey debía recibir la visita de un poderoso príncipe extranjero, el Mayordomo del Palacio intentó despertarlo a como diera lugar. Sacudió la cama, abrió las cortinas, pegó de gritos y le echó agua en la cara, pero sólo logró que Romualdo se enfureciera.

Romualdo llamó a la Guardia Real, ordenó que arrojaran al pobre Mayordomo al calabozo y, después de todo el alboroto, volvió a meterse en la cama y siguió durmiendo. El príncipe extranjero regresó furioso a su propio reino.

En varias ocasiones, Ludovico quiso explicar a su hermano cuáles eran las responsabilidades de un rey, pero Romualdo le daba la espalda.

Poco a poco, la amistad que tenían los hermanos se fue enfriando. Ya no les resultaba divertido jugar ajedrez porque, cuando Ludovico capturaba una pieza, Romualdo le ordenaba a algún lacayo que la regresara al tablero. Y cuando, aún así, Ludovico comenzaba a ganar, Romualdo volteaba el tablero y aventaba las fichas al piso, gritando:

—¡Nadie puede ganarle al rey!

Competir en esgrima también dejó de ser divertido para Ludovico, ya que Romualdo le prohibió burlarse de él juntando las manos delante de la nariz, agitando los dedos y enseñando la lengua.

Ludovico comenzó a pasar cada vez más tiempo a solas, en su cuarto.

Por su parte, Romualdo seguía disfrutando de ser rey, pues creía que podía hacer todo lo que quería. Le fascinaba ponerse la corona y mirarse en el espejo, pero, sobre todo, le encantaba gastar el dinero del reino.

Pagaba bolsas llenas de oro a los sastres más caros para que le confeccionaran trajes cada vez más estrambóticos. Los trajes llegaron a ser tan elaborados que, para vestirse, Romualdo necesitaba la ayuda de tres sirvientes. Y, aún así, tardaba dos horas en estar listo.

También gastó costales de oro en joyas preciosas, pues no le gustaba que lo vieran dos veces con el mismo anillo o collar. Contrató a un pequeño ejército de peinadores, maquillistas, manicuristas y masajistas, a quienes pagaba sueldos magníficos.

Así se la pasaba Romualdo: gastando y gastando el dinero hasta que, un día... un día, el dinero se acabó.

Los ministros se reunieron con Romualdo para discutir qué hacer.

—Hay que ahorrar, majestad —dictaminó el Ministro de la Tesorería.

—No hay que gastar en cosas superfluas —recomendó el Ministro de Educación.

—Es la única manera de volver a llenar las arcas del reino, su majestad —estuvieron de acuerdo todos.

Todos, excepto Romualdo.

—¡Claro que hay otra manera! —dijo.

Esa tarde, sonaron las campanas de la torre del palacio.

La gente se reunió en la plaza. El Heraldo Real salió al balcón del palacio y en su potente voz leyó un nuevo edicto real:

—Se avisa a toda la población que, a partir de hoy, se aumentan al triple los impuestos y las contribuciones. Quienes no puedan pagar con oro, tendrán que pagar con lo que puedan: los campesinos podrán pagar con granos; los ganaderos, con reses; los panaderos, con pan; los carpinteros, con muebles, etcétera, etcétera, etcétera.

—¡Nooo! —gritaron a coro todos los habitantes del reino.

—¡Síííí! —respondieron a coro los Cobradores Reales de Impuestos, que ya rodeaban la plaza.

—¡Nooo! —iban a gritar los súbditos de nuevo, pero decidieron callar al ver que, detrás de los cobradores, esperaba la Guardia Real armada con lanzas, espadas, mosquetes, escudos y cañones.

Desde su ventana en el palacio, Ludovico vio con tristeza cómo la gente del pueblo se formaba en silencio para entregar el tributo a su hermanito, el rey.

Cuatro

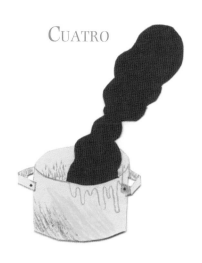

Con los impuestos tan elevados, la vida se volvió muy difícil para la gente del pueblo. Casi todo debían entregárselo al rey.

—Nos vamos a morir de hambre —se decía la gente—. ¿Qué vamos a hacer?

—Hablar con el rey —sugerían los ancianos sabios—. Si es un buen gobernante, deberá escucharnos.

—¿Y quién puede ir a hablar con él?

—¡Que vaya Nicolás!

Nicolás, el carpintero, era buen orador. Fue de buena gana a ver al rey para pedirle que ya no aumentara los impuestos.

—Nuestros hijos ya no tienen qué comer —expuso con lágrimas en los ojos.

Nicolás creía que el rey iba a escucharlo; confiaba en el poder de sus palabras. Pero, ¡ay!, qué desilusión: el rey no sólo no escuchó su reclamo, sino que le respondió burlonamente:

—Es que ustedes no han entendido que tienen que trabajar más: de día, sí, ¡pero también de noche! ¡Y deben aprender a ahorrar! ¡Sobre todo, a ahorrar!

"¿Ahorrar? Pero, ¿cómo?", se preguntaba Nicolás, pero prefirió no decir nada.

A partir de ese día, las cosas empeoraron. Al pueblo se le obligó a trabajar jornadas cada vez más agotadoras.

Las arcas del reino estaban llenas, pero las despensas de las casas humildes estaban cada vez más vacías.

A Ludovico le entristecía la actitud de su hermano. Y, aunque no aprobaba sus acciones, no dejó de apoyarlo hasta el día en que Pancracia llegó al palacio a exigir una audiencia con el rey.

Pancracia era la panadera del pueblo. Y, además, era sorda. Desesperada, se quejó amargamente con el rey. Claro que, siendo sorda, Pancracia se expresaba en la Lengua de Señas de los sordos de ese reino. Gesticulando con furia y moviendo las manos a gran velocidad, reclamó que, a pesar de ser panadera, ¡no había pan en su propia mesa!

Los ministros y Romualdo se miraron entre sí: nadie sabía qué hacer. Ni Romualdo ni ministro alguno comprendía la lengua de señas. Finalmente, a un ministro se le ocurrió llamar a Ludovico, quien inmediatamente se sentó a hablar con Pancracia.

Conversaron en Lengua de Señas durante largo rato: la panadera lloró, y el príncipe sordo la consoló y le ofreció ayuda. Romualdo los observaba, sintiéndose cada vez más frustrado por no entender lo que decían.

"Yo soy el rey", pensaba. "¡Tengo derecho de entender todo lo que se diga en mi reino!".

Esa tarde, Romualdo redactó un nuevo edicto que mandó colocar en los muros de todo el reino:

SE AVISA A TODA LA POBLACIÓN

QUE, A PARTIR DE HOY,
QUEDA PROHIBIDA LA LENGUA
DE SEÑAS. Y NO SÓLO PROHIBIDA:

¡PROHIBIDÍSIMA!

AL QUE SE ENCUENTRE HABLÁNDOLA,
SE LE DESTERRARÁ DEL REINO.

Ese día, Ludovico abandonó el palacio y se fue a vivir a una ermita perdida en lo más profundo del bosque.

Cinco

Dicen por ahí que no hay peor sordo que el que no quiere oír, y Romualdo no oía nada: no oía el llanto de los niños con hambre; no oía los suspiros de las madres que cada vez ponían más agua en los guisados; no oía los quejidos de los viejos que tenían que trabajar jornadas agotadoras.

Una bruma gris de tristeza fue cubriéndolo todo. La gente comenzó a murmurar en contra del rey. El odio crecía dentro de sus corazones.

Preocupado, Nicolás corrió la voz en el pueblo, citando a todos a reunirse a media noche en secreto en un claro del bosque.

—Esto ya no puede seguir así —dijo Nicolás a la gente que acudió a la reunión—. ¡Debemos hacer algo!

Pero la gente tenía miedo.

—¿Y qué haremos con los guardias?

—¡No podemos enfrentarnos a sus lanzas filosas!

—¡Vamos a perder lo poco que aún tenemos!

—Lo siento, me tengo que ir. ¡No quiero que se diga que estuve aquí, conspirando en contra el rey!

Nicolás intentaba convencerlos de que se quedaran:

—¡No se vayan! ¡Necesitamos organizarnos!

Pero, uno a uno, los tímidos habitantes del reino se fueron retirando, asustados.

Al final, no quedó nadie más que una mujer de delantal blanco, acompañada por un niño de cachucha verde y sonrisa traviesa.

—Y tú, ¿por qué no te fuiste? —preguntó Nicolás a la mujer de delantal blanco.

Pero la mujer no contestó.

—¿Estás de acuerdo con lo que dije? —insistió Nicolás.

Ella se mantuvo en silencio.

—Si nos organizamos, podremos hacer algo —continuó Nicolás—. Mi plan es el siguiente, escúchame...

—Mi mamá no te puede oír: es sorda —interrumpió el niño de la cachucha verde, sonriendo.

—Ay, perdón —dijo Nicolás, y se quedó callado. No sabía qué hacer.

Entonces la mujer comenzó a hablar en señas, moviendo las manos y el rostro. El niño, a su vez, comenzó a interpretarla con la voz:

—Mi mamá dice —tradujo el chico— que se llama Pancracia y que es panadera.

—¡YO SOY NICOLÁS, EL CARPINTERO! —gritó Nicolás.

—No hace falta que grites: de todos modos no te puedo oír —dijo Pancracia en señas, esbozando la misma sonrisa traviesa que Nicolás había observado en el rostro del niño.

—Ay, perdón —dijo Nicolás por segunda ocasión en esa noche.

Martín interpretaba todo lo que ambos adultos decían: traducía de voz a señas y de señas a voz.

—Mi hijo se llama Martín y, como puedes ver, a pesar de ser tan joven es un excelente intérprete.

—¿De verdad? —preguntó Nicolás.

—¡Claro! —dijo por cuenta propia Martín—. Aprendí a hablar en señas antes de aprender a hablar con la voz.

—¿No les da miedo hablar en Lengua de Señas? —preguntó Nicolás—. El rey Romualdo la ha prohibido en todo el reino.

—Toda persona tiene derecho de hablar, de expresarse —respondió Pancracia—. Y ese derecho nadie nos lo puede arrebatar.

Nicolás se quitó el sombrero e inclinó la cabeza en señal de respeto al valor de la panadera.

—¿Qué le quieres decir a mi mamá? —le preguntó Martín.

—Que soy Nicolás, el carpintero; que me da mucho gusto conocerla y que me gustaría saber por qué no se fue, como todos los demás.

—Yo no tengo miedo —respondió Pancracia—, y no quiero que mis hijos sigan pasando hambre.

Nicolás se quedó pensativo.

—¿Y qué podemos hacer nosotros tres?

—Seguir hablando con la gente —respondió Pancracia—; ya los convenceremos.

—¡Pues manos a la obra! —concluyó Nicolás.

Esta vez, los tres sonrieron.

SEIS

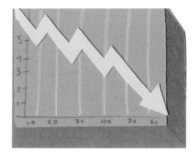

Poco a poco, bajo la influencia de Nicolás y de Pancracia, la gente se fue organizando y preparando para la insurrección.

En el castillo, Romualdo no se enteraba de nada. Él vivía pensando solamente en su propio lujo, placer y diversión.

La gente del pueblo, en cambio, difícilmente podía dormir, en parte porque el hambre les quitaba el sueño y en parte por el escándalo de las interminables fiestas que organizaba Romualdo, las cuales se escuchaban a kilómetros de distancia.

A Romualdo le gustaba que sus fiestas duraran hasta que él se cayera de cansancio.

33

Y, para su sorpresa, fue precisamente después de una de estas fiestas que comenzó la revuelta. Romualdo despertó antes del amanecer con el ruido de gritos y madera crujiendo: ¡el palacio estaba en llamas!

—¿Qué sucede? ¿Qué sucede? ¡Guardias! ¡GUARDIAS! —llamó desesperado.

Pero nadie contestó; los guardias lo habían abandonado.

—¡Mi corona! ¡Me han robado la corona! —exclamó Romualdo.

En efecto, media hora antes, mientras Romualdo yacía inconsciente, Nicolás y Pancracia habían entrado sigilosamente en el palacio, habían tomado la corona de la cabeza del rey, y se la habían llevado.

Romualdo se retacó los bolsillos de cuanto oro pudo encontrar y salió corriendo del palacio antes de que cantara el gallo. Fue así como dejó el reino: huyendo como un ladrón.

Nicolás, Pancracia y los demás representantes del pueblo se dirigieron entonces a la ermita en medio del bosque donde se encontraba el príncipe sordo.

Ludovico se asustó cuando los vio acercarse, pero pronto se dio cuenta de que no venían a hacerle daño. En cuanto se acercaron, colocaron sobre su cabeza la corona real y, cargado en hombros, lo llevaron de regreso al palacio y lo sentaron en el trono.

El reino entero —mujeres y hombres, sordos y oyentes, plebeyos y nobles, ministros y campesinos— se postró ante él.

—¡QUE VIVA EL REY LUDOVICO! —gritaron todos.

Algunos lo gritaron con la voz y, otros, con las manos.

SIETE

Ludovico se levantó inmediatamente del trono y saludó de mano a cada uno de los presentes. Luego convocó a todos los ministros a una reunión urgente de trabajo.

Tomando de nuevo asiento en su trono, anunció, moviendo las manos con gracia y solemnidad, que su primera orden como rey era bajar los impuestos.

—Mi primera medida de gobierno será reducir inmediatamente el cobro de impuestos. ¡El dinero que antes se gastaba en fiestas, ahora será destinado a la educación! —dijo en señas.

Pero nadie reaccionó. ¡Nadie le entendió! Los ministros, que eran todos, sin excepción, oyentes, se quedaron con la boca abierta.

No había uno sólo que hubiera aprendido Lengua de Señas, menos después de que Romualdo la prohibiera en todo el reino.

Ludovico repitió, moviendo las manos despacio y con paciencia, que ordenaba bajar impuestos y construir escuelas.

—¿Qué dice? —preguntó el Ministro de Ríos y Mares—. ¿Quizá tiene sed?

—¡El rey tiene sed! —gritaron todos los ministros, y corrieron a buscar agua.

Pero, desde luego, eso no era lo que quería Ludovico.

—Ya no trabajarán los ancianos —continuó.

—¿Qué dice? —preguntó el Ama de llaves del Palacio—. ¿Quizá tiene frío?

—¡El rey tiene frío! —gritaron los ministros, y corrieron a traer cobijas.

Pero eso tampoco era. Ludovico comenzaba a desesperarse.

—Traeremos doctores de los reinos vecinos —dijo, esforzándose por no perder la paciencia— para atender a todos nuestros enfermos.

—¿Qué dice? —preguntó el Cocinero Real—. Quizá tiene hambre. ¿Quiere pan?

—¡El rey quiere pan! —gritaron los ministros una vez más—. ¡Llamen al panadero! ¡Traigan pan!

Y así fue como Martín, el hijo de la panadera, llegó a la sala del trono cargando una canasta con pan.

Hizo una reverencia frente a Ludovico y se dirigió a él amablemente en Lengua de Señas, tal como su madre le había enseñado que había que comportarse ante un rey.

—¿Su majestad quiere pan? —preguntó Martín en señas.

Ludovico, sorprendido, tardó un momento en reconocer al hijo de Pancracia.

—¿Martín? ¡Pero cómo has crecido! —exclamó emocionado, e inmediatamente añadió—: ¡Llegas como caído del cielo! Aquí nadie entiende Lengua de Señas. ¿Quieres ser mi intérprete?

—Sería un honor —respondió Martín sin pensarlo dos veces.

Los ministros miraban la conversación extrañados, sin entender una palabra de lo que el rey y el muchacho decían.

—Diles que bajaremos los impuestos y construiremos escuelas —ordenó Ludovico a Martín.

Feliz, Martín se paró junto al trono y gritó tan fuerte como pudo:

—¡El rey ordena que bajen los impuestos y que se construyan escuelas!

—¿Y se puede saber quién eres tú? —preguntaron los ministros a Martín.

—Soy Martín, el hijo de la panadera.

—¿Y tú le entiendes? ¿Cómo sabemos que no nos estás engañando? —preguntaron desconfiados.

Ludovico los interrumpió, dirigiéndose al muchacho:

—Diles que, de ahora en adelante, serás Intérprete Oficial del rey.

—¿Qué dijo? —preguntaron los ministros impacientes.

—Que ahora soy su Intérprete Real.

—¡Qué horror, el hijo de la panadera! No, no, no, de ninguna manera —comenzaron a protestar los ministros, sin darse cuenta de que Martín seguía interpretando todo lo que decían.

Ludovico frunció el ceño. Con un gesto severo calló a los ministros. Luego pidió papel y pluma y, ante la mirada temerosa de todos, redactó y firmó el nombramiento oficial de Martín.

—Como ordene su majestad, así se hará —dijeron los ministros, haciendo una reverencia ante el rey.

—Diles que voy a salir —ordenó Ludovico a Martín.

—¡El rey va a salir! —gritó Martín.

—¡El rey va a salir! —coreó de inmediato el Ministro de Transportes—. ¡Preparen el carruaje y la escolta reales!

Martín traducía todo, de señas a voz y de voz a señas.

—No quiero el carruaje —dijo Ludovico—. Voy a caminar, y lo haré sin escolta.

—Por ningún motivo, su alteza —insistió el Ministro de Transportes—; es muy peligroso.

Ludovico suspiró.

—Voy a visitar a la gente; quiero ver qué necesita.

—No, señor —interpeló ahora el Ministro de Protocolo—. Usted correría peligro. Además, el rey debe quedarse en su castillo. Así lo dicta la tradición.

—Pero encerrado aquí no me enteraré de lo que pasa —objetó Ludovico.

—Ni falta que hace —dijeron todos los ministros a coro—; nosotros se lo contaremos. ¡Para eso estamos!

Ludovico perdió la paciencia:

—¡No! —dijo con un movimiento enérgico de la mano—. Yo voy a salir. Y, mientras tanto, ustedes tomarán unas clases.

—Pero si nosotros ya fuimos a la escuela —dijeron los ministros, confundidos.

—Siempre se puede aprender algo —respondió Ludovico—. Y a ustedes vaya que les hace falta. Así que aquí está su maestro...

Ludovico señaló a Martín.

—¿Un niño nos va a enseñar? ¡Nooo! —exclamaron a coro los ministros.

—Un niño, sí —sonrió Ludovico—. Y
ahora, con su permiso, me iré a dar una
vuelta por el reino. Y ustedes, ¡a aprender
Lengua de Señas!

Al principio, los ministros protestaron,
pero después les gustó aprender Lengua de
Señas. Ahora podían comunicarse con su
rey y con los habitantes sordos del lugar.

Y esa comunicación daba sus frutos,
ya que, a medida que sus manos se iban
llenando de palabras, el reino prosperaba.

Los campos reventaban de flores y, en
las mesas de la gente del pueblo, los platos
rebozaban de comida. La felicidad regresaba
poco a poco a sus corazones.

Sin embargo, parecía que el rey Ludovico
no estaba del todo contento a pesar de los
reportes de sus ministros:

—Su majestad, las cosas van marchando muy bien —le aseguraban, sonrientes, en Lengua de Señas.

—Las cosechas han sido excelentes.

—Los viejos ya no tienen que trabajar.

—Las escuelas están repletas de niños.

Pero Ludovico apenas sonreía. Parecía distraído y lanzaba suspiros tristes. Los ministros intercambiaban miradas, preocupados.

—¿No está contento, su majestad? —le preguntaron un buen día.

—No, no lo estoy —respondió Ludovico.

—¿Pero por qué, si todo marcha tan bien?

Ludovico lanzó un suspiro aún más triste que los anteriores:

—Por Romualdo.

—Pero él huyó, desapareció; nadie sabe dónde está —exclamaron los ministros.

—Lo extraño —dijo Ludovico—. Extraño nuestras partidas de ajedrez, nuestros lances con los floretes... ¡Extraño a mi hermano!

Los ministros enviaron a buscar a Romualdo por todas partes. Lo buscaron debajo de las piedras, encima de los árboles,

en cada recodo de cada camino del reino...
y nada. Parecía que Romualdo se había
esfumado.

Así pues, Ludovico, el gran rey por todos
adorado, permaneció triste y solitario. La
gente vivía feliz, pero al rey lo envolvía una
gran melancolía.

Una tarde fresca de verano, Ludovico,
habiendo concluido las tareas de gobierno
de ese día, salió a pasear por los hermosos
jardines del palacio. Se quitó la corona, se
recostó en el pasto y se quedó dormido. Soñó
que caminaba junto a su padre y que el viejo
rey le sonreía...

Despertó con un sobresalto: de pie, a
su lado, estaba su hermano Romualdo
sosteniendo la corona entre sus manos.

Ludovico se paró de un brinco y sacó
su espada. Romualdo sacó la suya, y los
hermanos comenzaron a combatir.

Ludovico se sorprendió al ver que la
técnica de esgrima de su hermano había
mejorado mucho. Tanto así, que en poco
tiempo Ludovico perdió su espada y quedó

vencido. Romualdo se acercó a él con la espada en alto. Ludovico pensó que todo estaba perdido y se preparó para recibir la última estocada...

Pero, ¡cuál no sería su sorpresa al ver que Romualdo aventaba su florete al piso, juntaba las manos delante de su nariz y agitaba los dedos mientras sacaba la lengua, sonriendo!

Ludovico se quedó congelado, sin comprender. Entonces Romualdo también se puso serio y se hincó ante su hermano.

—Tome, su majestad: esto le pertenece —dijo Romualdo, y entregó a Ludovico la corona.

Ludovico levantó a su hermano del suelo y lo abrazó.

—¿Por qué regresaste? —le preguntó.

—Te extrañé —respondió Romualdo con lágrimas en los ojos.

—Yo también te extrañé —dijo Ludovico.

Los hermanos se miraron largamente.

—¿No notas nada raro? —preguntó Romualdo.

—No. ¿Qué?

—Estoy hablando en Lengua de Señas.

—¡Es verdad! —exclamó Ludovico sorprendido—. ¿Cómo aprendiste?

—Por los caminos —dijo Romualdo—; ahora en el reino todos la hablan.

—¿Todos?

—Bueno, casi todos.

Los hermanos rieron.

—¿Jugamos ajedrez? —preguntó Romualdo, el hermano menor.

—Sí, pero sólo una partida —respondió Ludovico, el hermano mayor—. Luego hay que ponerse a trabajar.

Los juglares tenemos
la cabeza llena de pájaros
los ojos llenos de colores,
el corazón lleno de esperanza,
los pies llenos de caminos,
las narices llenas de olores,
las manos llenas de palabras.

Nuestro oficio es contar historias:
historias grandes,
historias pequeñas
e historias antiguas,
y esta historia...
ya se contó.

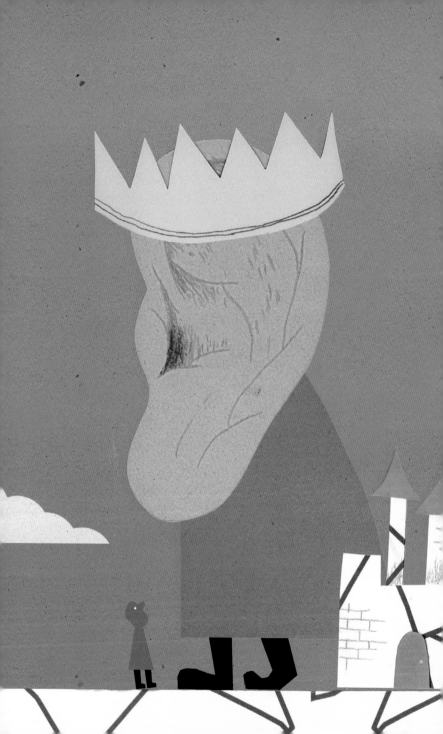

Éste no es un libro común. A diferencia
de otros libros que seguramente has leído,
El rey que no oía, pero escuchaba no empezó
siendo un cuento, sino un libreto teatral que
llevaba el mismo nombre.

Esta obra la escribió la directora y
dramaturga Perla Szuchmacher para una
compañía teatral llamada Seña y Verbo,
teatro de sordos. ¿Teatro de sordos? Sí,
no estás leyendo mal. Así se llama. Y no
por casualidad.

La compañía fue fundada en 1993
por Alberto Lomnitz, y está integrada por
actores sordos y oyentes. Produce obras para
adultos y para niños en las que la Lengua

de Señas Mexicana (LSM) se combina en escena con el español hablado para crear espectáculos bilingües que gozan sordos y oyentes por igual.

Su principal objetivo es difundir la lengua y la cultura de los sordos a través de talleres y obras de teatro originales y de gran calidad.

Muchas de ellas —como es el caso de *El rey que no oía, pero escuchaba*— suelen tratar sobre sordera, pues hay muchos mitos alrededor de este tema.

Algunas personas, por ejemplo, se refieren a ellos como "sordomudos", cuando, en realidad, la gran mayoría de los sordos son capaces de emitir sonidos con la boca sin dificultad alguna. Si no pronuncian las palabras correctamente se debe a que no las pueden oír.

Uno de los mayores problemas que padecen muchos sordos actualmente es que son forzados a oralizarse, es decir, a aprender a hablar y a leer los labios, cuando la manera natural en que se comunican es a través de la Lengua de Señas.

Sin embargo, la principal idea equivocada sobre esta condición consiste en pensar que los sordos son deficientes mentales, lo cual es completamente falso.

Ludovico, a pesar de ser sordo, es igual o más listo que su hermano Romualdo. Y, aun así, se le considera menos capaz simplemente porque no puede oír.

Quizá esta situación te parezca menos grave porque sucede en una historia que ocurre en un país lejano. Pero a muchos sordos les ocurre lo mismo día con día.

Perla, al igual que muchas de las personas que han colaborado con Seña y Verbo a través de los años, comprendió cuál era la situación actual de los sordos y creó esta obra. Fue una de las últimas que escribió.

Nosotros quisimos transformarla en libro con ayuda de Alberto para que tú también pudieras conocer un poco más sobre el mundo de los sordos. Si te quedaste con ganas de saber más, te invitamos a que visites este sitio:

http://www.teatrodesordos.org.mx/

Impreso en los talleres de
Editorial Impresora Apolo, S.A. de C.V.
Centeno 150-6, Col. Granjas Esmeralda,
Del. Iztapalapa, C.P. 09810, México, D.F.
Mayo de 2016.